Papa est un fantôme

Texte et illustrations :
Bruno St-Aubin

Dominique et compagnie

COMMUNICATION-JEUNESSE
1685 RUE FLEURY EST BUREAU 200
MONTRÉAL (QUÉBEC) H2C 1T1
jau 10
6/6

Tous les soirs, avant de m'endormir...

Je parle avec mon papa.

Comme papa travaille la nuit,
il rentre très tard.

Je lui demande de me réveiller
à son retour.

J'essaie de dormir
dans l'obscurité inquiétante…

Mais j'entends
des portes qui grincent.

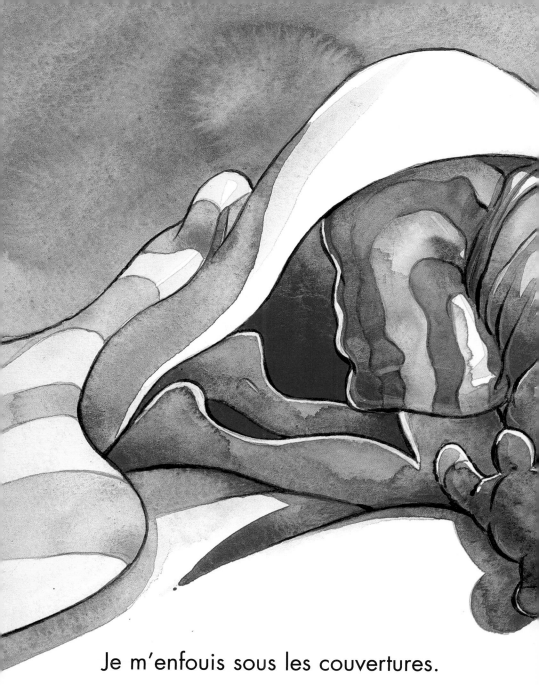

Je m'enfouis sous les couvertures.

Ouf ! je suis à l'abri.

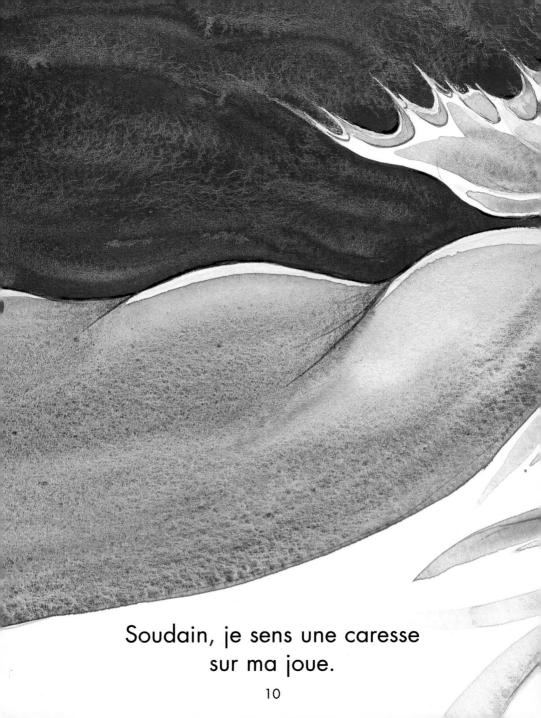

Soudain, je sens une caresse
sur ma joue.

C'est un fantôme qui me frôle !

Toutes mes nuits sont hantées.

Et tous les matins,
je ne dois pas faire de bruit.

13

Papa dort dans son lit.

Avant de partir pour l'école,
j'entre dans sa chambre.

Je m'avance doucement
pour déposer un bisou sur sa joue.

Mais… qui dort dans son lit?

Au secours ! Mon papa
s'est transformé en fantôme !

Je cours à toutes jambes vers l'école.

Mes amis me traitent de peureux.

Vraiment, la vie est trop injuste.

Je retourne chez moi, un peu craintif.

J'inspecte tous les recoins de la maison.

Fiou ! pas de fantôme en vue.
Je suis soulagé.

Mais la nuit revient
avec ses peurs.

Ce soir, c'est décidé,
je ne m'endormirai pas !

J'entends la voiture de papa arriver.

J'entends des portes qui grincent.

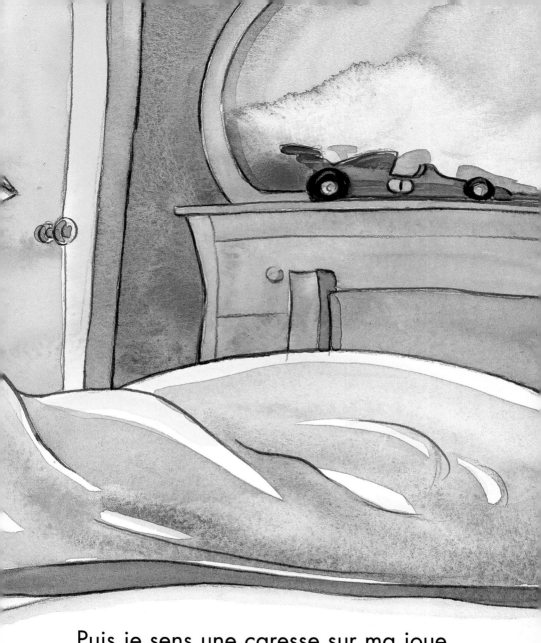

Puis je sens une caresse sur ma joue.
C'est bizarre, depuis cette nuit...

... je n'ai plus peur des fantômes !

As-tu lu bien attentivement ?

C'est ce qu'on va voir…

Essaie de répondre aux questions suivantes.

1. Pourquoi le papa rentre-t-il tard ?
a) Il travaille la nuit.
b) Il va au cinéma.
c) Il a perdu sa montre.

2. Où se cache le petit garçon pour être à l'abri des fantômes ?
a) Sous le lit.
b) Sous ses couvertures.
c) Dans la salle de bains.

3. Que va faire le petit garçon dans la chambre de son papa, le matin ?
a) Il va le réveiller.
b) Il veut lui sauter dessus.
c) Il veut lui donner un bisou.

4. Que font le petit garçon et le fantôme à la fin ?
a) Ils jouent aux cartes.
b) Ils font peur au chat.
c) Ils se parlent au téléphone.

Tu peux vérifier tes réponses en consultant le site Internet des éditions Dominique et compagnie, à : www.dominiqueetcompagnie.com/apasdeloup.

À cette adresse, tu trouveras aussi des informations sur les autres titres de la série, des renseignements sur l'auteur-illustrateur et plein d'autres choses intéressantes !

Tu as aimé cette histoire?
Tu as envie de connaître toutes les facettes de papa?

Voici les autres titres de cette série.